Índice

2

g a t a
_ _ _ _

l_ _ _

b _ _ _

m _ _ _ _ _

s _ _

b _ _ _ _ _ _

t _ _ _ _ _ _ _ _ _

n _ _ _ _

p _ _ _ _ _ _ _ _

B	A	L	O	I	Ç	O	V	N	R	T	S
E	G	H	L	P	A	Z	X	E	V	P	O
L	O	M	E	N	I	N	A	H	N	U	L
B	Q	D	F	R	N	O	P	S	Ç	A	Z
O	X	C	R	T	U	J	C	Ã	O	L	P
L	A	G	O	T	B	N	M	U	L	J	A
A	S	E	D	C	R	B	T	X	Z	O	L
D	S	E	F	R	T	G	H	L	Ç	B	P
M	L	T	A	R	T	A	R	U	G	A	Q
A	X	C	R	V	A	U	H	E	L	N	J
Ç	P	R	V	C	E	T	B	N	U	C	X
Z	Q	E	C	R	V	T	B	U	M	O	Ç
O	P	A	P	A	G	A	I	O	Ç	O	Q
X	V	U	J	D	C	V	L	P	E	B	T

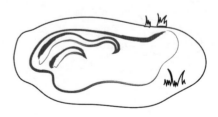

4

Olá! Eu chamo-me _____.
Sou a tartaruga.

Olá! Eu chamo-me _____.
Sou o cão.

Olá! Eu chamo-me _____.
Sou a gata.

Olá! Eu chamo-me _____.
Sou o papagaio.

Olá! Eu chamo-me _____.
Sou uma menina.

Olá! Eu chamo-me _____.
Sou um menino.

Está sol.

A gata está no baloiço.

A tartaruga está no lago.

O papagaio está no banco.

A Timi joga à bola com a Ana e o Tomás.

2

três

um

dois

três

um

dois

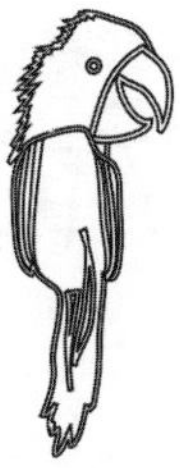

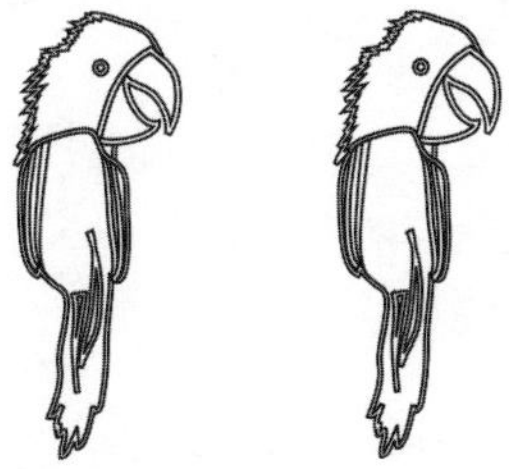

3

D	F	R	G	N	U	X	B	P	E	S	A
E	C	B	V	A	C	A	R	R	S	G	V
C	Z	R	N	M	I	L	P	O	L	A	R
A	S	S	X	D	R	C	A	V	A	L	O
S	C	B	T	U	J	L	P	F	E	I	M
A	E	R	C	M	X	T	G	B	I	N	Ç
Q	S	A	C	Ã	R	G	I	N	U	H	P
Ç	Á	C	N	E	T	H	R	J	L	A	C
Z	R	E	Q	D	X	N	M	L	Ç	P	T
Q	V	D	B	R	G	T	Ã	J	U	L	P
S	O	X	C	Ã	O	V	Q	E	G	L	P
E	R	D	R	V	T	B	U	N	I	M	P
A	E	Z	X	E	R	V	C	G	A	T	A

É a árvore.

É _____ .

É _____ .

É _____ .

É _____ .

É _____ .

É _____ .

É _____ .

5

chama-se

•   • Tomás

•   • Mila

•   • Poli

•   • Lili

•   • Pimpão

•   • Fofa

•   • Ana

A casa é azul.

Há dois cavalos.

Há três árvores verdes.

Há uma flor vermelha.

O cão está no lago.

1 = vermelho   3 = azul   5 = castanho

2 = amarelo   4 = verde   6 = cor de laranja

a alface

a maçã

o milho

o pão

a laranja

a banana

o chocolate

3

B	U	T	Q	U	A	T	R	O	D	E	F	N	C
Z	R	T	P	Ç	A	S	S	D	B	N	C	L	I
J	C	O	L	P	T	B	Z	S	U	M	O	E	N
E	A	F	V	N	T	O	U	J	L	O	R	E	C
Z	R	E	R	S	D	L	X	C	B	U	B	M	O
Ç	N	Q	D	E	D	A	F	H	U	J	O	L	Ç
P	E	I	X	E	P	C	T	B	N	U	L	O	L
Ç	P	E	D	C	R	H	F	C	O	M	E	R	B
R	F	T	G	B	J	A	U	M	P	L	T	Ç	F
Á	Q	S	E	E	F	S	H	N	E	X	A	Z	F
G	T	B	N	B	U	I	L	Ç	P	T	B	E	S
U	X	C	G	E	L	A	D	O	T	B	U	N	I
A	M	O	L	R	P	Ç	I	J	T	H	G	N	R

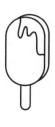

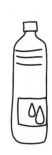

4

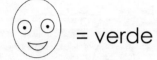 = verde = vermelho

  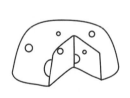

 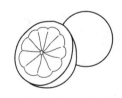 

 Eu gosto de _____

_____.

 Eu não gosto de _____

_____.

5

O chocolate é castanho.

6

Há seis laranjas na árvore.

A Ana come bolachas.

O Tomás bebe sumo de maçã.

A Timi come um gelado.

A galinha gosta de milho.

1

a porta – a janela – a chaminé – a nuvem – o sol – a flor – a árvore

•9

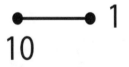

•—————• 1

10

•7   •8

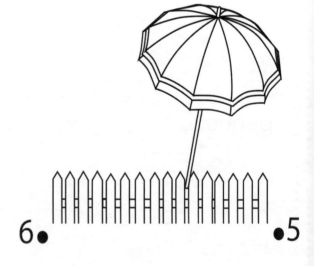

6•   •5

•2   •3   •4

frio			
grande			
pequena			
fria			
pequeno			
grande			

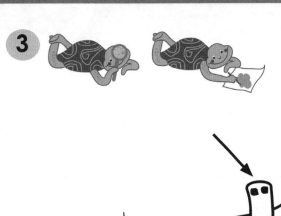

E	D	F	R	B	U	P	Ç	A	C	S	C	É	U
Z	J	A	R	D	I	M	E	G	H	T	H	N	M
O	A	L	P	Ç	U	T	E	D	A	X	Q	A	V
R	N	T	B	U	N	T	P	A	M	I	G	O	X
N	E	V	E	Z	C	E	E	V	I	T	N	U	L
Ç	L	P	Q	E	F	L	R	B	N	U	M	I	Q
L	A	P	Ç	I	L	H	R	G	É	Q	D	E	U
F	Z	X	V	R	T	A	J	I	O	L	P	Ç	E
R	V	T	B	U	N	D	M	I	O	P	Ç	L	I
Q	A	S	E	D	R	O	F	V	D	B	T	E	J
E	R	V	A	E	R	F	V	D	E	R	H	U	O
J	U	M	O	L	P	Ç	E	R	Z	S	D	F	Z
C	E	U	N	P	Ã	O	E	V	T	P	M	Q	R

10

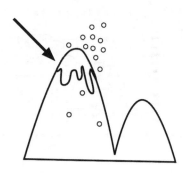

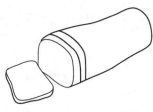

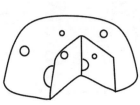

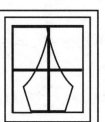

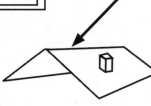

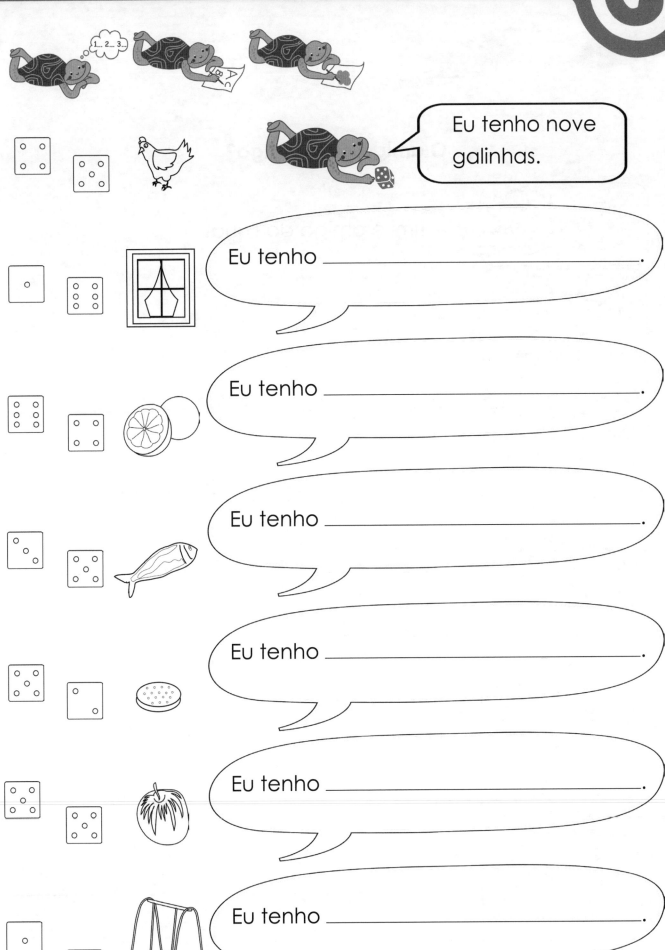

Eu tenho nove galinhas.

Eu tenho _____.

Eu tenho _____.

Eu tenho _____.

Eu tenho _____.

Eu tenho _____.

Eu tenho _____.

5

O amigo ou a amiga?

A Timi é amiga da Luna.

A _____ é amiga do _____.

O _____ é amigo do _____.

A _____ é amiga da _____.

O _____ é amigo do _____.

De quem é?

A casa é do Tomás.

O _____.

_____.

_____.

A casa é amarela e tem três janelas verdes.

A porta é castanha.

O telhado é vermelho.

A chaminé é cor de laranja.

O jardim tem dez flores.

Na montanha há neve.

1. Eu tenho uma _____.

2. Eu tenho um _____.

3. Eu tenho três _____.

4. Eu tenho uma _____.

5. Eu tenho duas _____.

6. Eu tenho um _____.

3

E	C	X	R	T	N	E	Ç	L	P	C	Z	Q	S	Q
R	F	V	B	T	E	S	O	U	R	A	T	N	I	U
O	L	P	Z	F	J	C	H	T	L	D	J	B	N	A
D	X	R	E	D	F	O	T	B	M	E	S	A	N	D
U	C	O	L	A	I	L	M	L	P	I	Q	Ç	T	R
E	D	F	R	V	B	A	R	G	J	R	Z	V	R	O
X	D	E	B	I	J	L	Ç	P	T	A	Q	P	D	C
B	T	S	X	T	U	R	M	A	E	B	M	A	Ç	P
A	X	S	R	V	B	T	J	O	Ç	L	Á	P	I	S
Q	C	O	E	B	N	U	L	O	P	I	L	E	Ç	J
B	O	R	R	A	C	H	A	T	G	V	X	L	B	T
E	R	A	V	N	T	G	H	J	P	R	S	F	Ç	O
E	C	Z	B	C	A	D	E	R	N	O	R	H	F	J

f _ _ _

b _ _ _ _ _ _ _

l _ _ _ _

c _ _ _ _ _ _ _

m _ _ _ _ _ _ _ _

j _ _ _ _ _

j _ _ _ _ _

c _ _ _ _ _ _

m _ _ _ _ _ _ _ _

n _ _ _

6

A Ana tem uma cola pequena e uma folha amarela.

O Tomás tem uma tesoura grande e azul.

Na mesa há nove lápis e dois livros.

A Luna tem um caderno verde.

O Max pinta uma árvore numa folha de papel.

A Timi não tem _____ . (l a h o r s e)

A Timi tem uma _____ grande. (c o a b)

A Timi é _____ . (o i a b n t)

3

perna			
braço			
boca			
olho			
pé			
mão			
cabelo			
nariz			

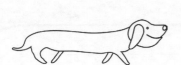  **magro – gordo**

O cão é _____.

_____.

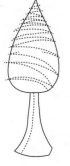 **grande – pequena**

_____.

_____.

 **alto – baixa**

_____.

_____.

Como te chamas?

_____.

Quantos anos tens?

_____.

De que cor são os teus olhos?

_____.

5

Eu sou o _____ .
Tenho seis braços.

Eu sou o _____ .
Tenho duas cabeças.

Eu sou o _____ .
Tenho três braços.

Eu sou o _____ .
Tenho três pernas.

6

	Sim	Não
1. O dragão tem olhos grandes.	◯	◯
2. O dragão tem uma cabeça pequena.	◯	◯
3. O dragão tem orelhas grandes.	◯	◯
4. O dragão tem pernas magras.	◯	◯

7

O dragão Dim tem uma cabeça azul, olhos verdes, a boca vermelha e as pernas pretas e cor de rosa.

1

O casaco é cor de rosa.

As sandálias são castanhas.

Os calções são amarelos.

As botas são vermelhas.

O vestido é verde e amarelo.

A camisola é _____.

Os sapatos _____ _____.

em cima de debaixo de	de + a = da de + o = do

A Timi está debaixo da árvore.   A Timi está em cima da árvore.

_____ .

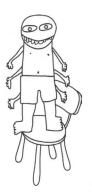

_____ .

_____ .

3

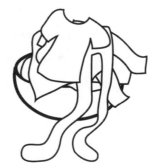

G	H	U	O	R	P	Ç	L	P	R	T	G	E	S	C
V	R	R	S	O	C	B	U	C	N	Ç	E	S	D	H
E	Q	C	Z	U	F	C	C	A	M	I	S	O	L	A
S	R	A	G	P	H	B	M	S	L	Ç	P	U	T	P
T	A	L	X	A	Q	F	V	A	B	L	B	O	N	É
I	E	Ç	R	D	G	H	L	C	P	Ç	I	R	T	U
D	E	Õ	Z	V	B	T	B	O	T	A	S	N	L	U
O	X	E	E	R	C	V	N	M	U	T	H	L	Ç	P
F	R	S	A	P	A	T	O	S	C	X	V	N	M	Ç
R	B	T	N	S	L	Z	V	B	R	E	Q	S	E	J
Ç	P	Q	D	F	Ç	C	G	H	B	J	S	A	I	A
E	D	C	V	M	A	X	C	V	T	N	L	Ç	A	Z
C	E	R	V	T	S	A	N	D	Á	L	I	A	S	C

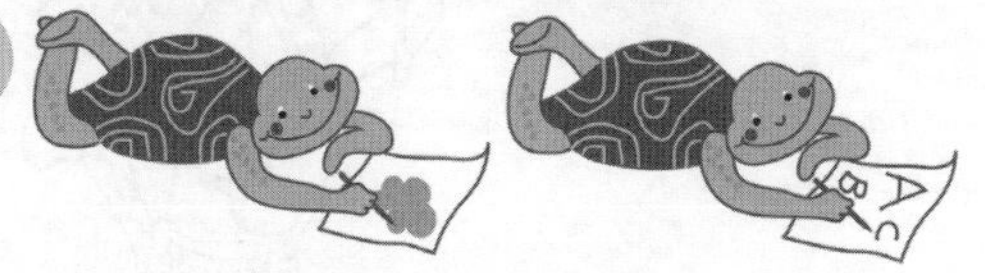

Hoje eu visto _____

_____

_____

_____

e calço _____

_____

_____

_____

5

1 – Como te chamas?

_____.

2 – Onde moras?

_____.

3 – Com quem moras?

_____.

4 – A tua casa é grande ou pequena?

_____.

5 – De que cor é a tua casa?

_____.

6 – Qual é a tua cor preferida?

_____.

7 – O que é que gostas mais de vestir?

_____.

8 – _____?

_____.

6

Há muitas nuvens no céu.

Nas montanhas há neve.

A Timi veste uma camisola cor de laranja e umas calças azuis.

A Ana brinca com o Max debaixo da árvore.

O polícia está a dormir.

_____

_____

_____

_____

_____

meu / minha

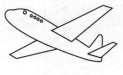

O avião é meu.

_____ .

_____ .

_____ .

_____ .

_____ .

_____ .

_____ .

_____ .

3

B	E	F	R	G	H	U	I	A	V	I	Ã	Õ	M	S
A	X	C	B	E	R	B	G	T	H	U	L	Ç	P	U
B	E	H	O	S	P	I	T	A	L	O	L	U	I	P
O	Q	D	N	G	H	C	H	L	N	I	M	P	Ç	E
M	Z	D	E	E	R	I	V	B	C	X	Q	A	D	R
B	A	R	C	O	B	C	I	D	A	D	E	J	L	M
E	F	R	A	V	N	L	M	L	R	Ç	P	I	T	E
I	E	D	F	B	X	E	T	N	T	Q	C	S	S	R
R	F	M	B	U	I	T	O	P	E	L	A	Ç	E	C
O	Q	É	D	R	U	A	G	J	I	L	R	T	O	A
Q	F	D	H	J	L	P	A	X	R	Z	R	B	M	D
T	J	I	L	P	C	O	M	B	O	I	O	E	R	O
G	T	C	H	N	U	J	S	E	D	Z	X	V	T	R
T	G	O	B	N	F	O	G	U	E	T	Ã	O	Q	D
E	F	G	H	Q	A	X	B	V	R	N	R	J	I	Ç
P	A	Z	P	O	L	Í	C	I	A	V	R	T	N	U

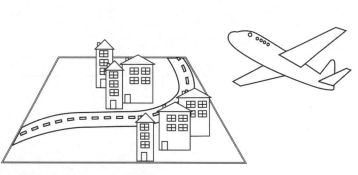

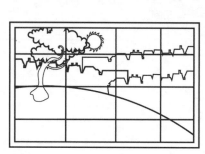

4

 O _ _ _ _ é preto e branco.

 A _ _ _ _ _ _ _ _ _ é castanha.

 O _ _ _ _ _ _ é cor de laranja.

 A _ _ _ _ _ _ _ _ é preta.

 A _ _ _ _ _ _ _ _ é vermelha.

 O _ _ _ _ _ é azul.

A _ _ _ _ _ _ _ _ _ é cor de laranja.

O _ _ _ _ _ _ _ _ é cor de rosa.

 A _ _ _ _ _ _ é amarela.

 A _ _ _ _ _ _ _ _ é vermelha.

5

A Timi vê um foguetão verde e amarelo no céu.

O Tomás anda numa bicicleta amarela.

O carro é vermelho e branco.

Na rua há uma casa cor de rosa e duas azuis.

1

	azul	verde	branco	vermelho	preto	amarelo	cor de rosa	castanho
um								
dois								
três								
quatro								
cinco								
seis								
sete								
oito								
nove								
dez								

Onde está a maçã?

No seis azul?

Não, não está.

Sim!

No seis verde?

A galinha gosta de milho.

O coelho _____ .

O papagaio _____ .

A gata _____ .

O cavalo _____ .

O porco _____ .

O pato _____ .

A Ana _____ .

O Tomás _____ .

O avô _____ .

O coelho _____ .

O pássaro _____ .

O cão _____ .

O cavalo _____ .

3

A	V	Ô	S	D	R	V	B	T	H	C	N	L	P	V
L	Ç	I	T	P	Á	S	S	A	R	O	A	S	S	O
C	G	R	T	U	J	I	L	O	Ç	E	R	G	H	A
C	A	R	A	C	O	L	R	G	H	L	E	T	J	R
E	Q	A	S	X	C	E	E	F	R	H	G	B	N	J
N	E	R	F	R	V	I	B	N	P	O	R	C	O	Ç
O	V	O	P	Ã	Q	T	D	F	R	X	O	E	P	Ç
U	Q	D	F	E	L	E	G	A	Z	Ç	E	A	O	P
R	G	H	Q	J	E	O	L	V	S	C	N	B	M	Ç
A	R	G	T	J	N	T	N	Ó	Ç	P	G	E	U	L
A	S	P	R	T	O	B	H	J	L	V	E	L	H	O
E	F	A	B	J	V	Z	X	E	J	S	I	H	M	Ç
Q	E	T	D	B	O	R	B	O	L	E	T	A	J	P
H	D	O	C	J	Ç	P	E	G	B	O	R	N	O	Ç

Qual é o teu número de telefone?

O meu número de telefone é 715891.

o meu _____   do Tomás _____

da Ana _____   da mãe _____

da Timi _____   da avó _____

2 _ _ _ _

4 _ _ _ _ _

5 _ _ _ _ _

3 _ _ _ _

9 _ _ _ _

1 _ _

7 _ _ _ _

8 _ _ _ _

10 _ _ _

6 _ _ _ _

5

O meu animal favorito

Como se chama?

_____

É grande ou pequeno?

_____

De que cor é?

_____

O que gosta de comer?

_____

O que gosta de beber?

_____

O que gosta de fazer?

_____

Onde vive?

_____

Sabe voar, andar ou saltar?

_____

Hoje está sol e há poucas nuvens no céu.

Há quatro pássaros a voar.

Há três árvores, oito flores, um baloiço, uma mesa grande e seis cadeiras.

No lago estão cinco patos e uma rã.

A gata está a beber leite e o porco a comer maçãs.

cinquenta e oito

_____
_____
_____
_____
_____
_____
_____
_____
_____
_____

_____

_____

_____

_____

_____

_____

_____

_____

_____

_____

_____